Б В

Є Ж З

Й К Л

П Р С

Х Ц Ч

Ю Я '

Щоб приголосний був твердим,
Апостроф ставлять поруч з ним.
Цей знак у тих словах стоїть,
Де далі йдуть Я, Ю, Є, Ї.

Свою працю із шаною та вдячністю автор присвячує Майстрам, чиї вірші, твори, методичні доробки зробили можливим створення цієї книги

Василь Федієнко

БУКВАР
читайлик

РЕКОМЕНДОВАНО ДІТЯМ ВІД ЧОТИРЬОХ З ПОЛОВИНОЮ РОКІВ

ШКОЛА
ВИДАВНИЧИЙ ДІМ

СХВАЛЕНО
для використання
в дошкільних навчальних закладах

УДК 372.416.2
Ф32

**СХВАЛЕНО ДЛЯ ВИКОРИСТАННЯ
В ДОШКІЛЬНИХ НАВЧАЛЬНИХ ЗАКЛАДАХ**
(Лист Інституту інноваційних технологій і змісту освіти
Міністерства освіти і науки України
№14.1/12-Г-1584 від 23.09.2014 р.)

Укладач:
В. В. Федієнко, кандидат педагогічних наук

Рецензенти:
О. В. Низковська, методист вищої категорії сектору дошкільної освіти
Інституту інноваційних технологій і змісту освіти МОН України;
А. М. Гончаренко, канд. пед. наук, старший науковий співробітник
Інституту проблем виховання АПН України;
І. О. Луценко, канд. пед. наук, доцент кафедри
дошкільної педагогіки НПУ ім. М. Драгоманова;
А. В. Пасічник, асистент кафедри теорії, методики і психології дошкільної освіти та родинного
виховання Інституту дошкільної,
початкової та мистецької освіти КМПУ ім. Б. Грінченка

УМОВНІ ПОЗНАЧЕННЯ

 Тексти для читання дорослими дитині, бесід, заучування напам'ять.

 Додатковий (ілюстративний) матеріал. Посторінкові методичні рекомендації для батьків.

Федієнко В. В.
Ф32   Буквар для дошкільнят : Читайлик / В. Федієнко ; мал. Є. Житник. — Вид. 3-тє, перероб. — Х. : ВД «ШКОЛА», 2019. — 96 с.
ISBN 978-966-429-487-1

Мета посібника — формування у дитини старшого дошкільного віку початкових навичок читання. Книга також допоможе в розвиткові фонематичного слуху, розширить словниковий запас дитини.

Дитина отримає уявлення про поняття: звук, буква, склад, наголос, основні види слів, речення тощо. Заняття за «Букварем» стимулюватимуть також розвиток сприйняття, уваги, пам'яті, мислення та мовленнєвих навичок.

Посібник адресовано батькам, педагогам та малятам, що прагнуть навчитися читати.

УДК 372.416.2

ISBN 978-966-429-487-1

ШАНОВНІ БАТЬКИ ТА ПЕДАГОГИ!

Зараз ви тримаєте в руках цей буквар і, напевне, вагаєтесь: а чи варто його купувати? Чим він кращий від інших, у чому його особливість? Ось кілька слів про те, що робить цей буквар унікальним.

ПО-ПЕРШЕ: ЦЕ СУЧАСНИЙ БУКВАР. Під час його створення використовувалися новітні доробки українських та зарубіжних авторів, педагогів та вчених. Було опрацьовано силу-силенну художньої літератури у пошуках вдалих сюжетних та мовленнєвих прикладів: віршів, чистомовок, скоромовок, загадок, оповідань тощо.

ПО-ДРУГЕ: ЦЕ ЦІКАВИЙ БУКВАР. Вдале і раціональне поєднання навчальних текстів з ілюстраціями та додатковим матеріалом зробить буквар улюбленою книгою вашого малюка, а навчальний процес стане частиною його повсякденних ігор.

ПО-ТРЕТЄ: ЦЕ ЕФЕКТИВНИЙ БУКВАР. Займаючись кожного дня за цим букварем з дитиною віком від чотирьох з половиною років по 7—15 хвилин, ви зможете навчити читати її приблизно за півроку. Цей результат гарантовано досвідом і практикою: багато дітей вже навчилися читати за цим букварем.

І НАРЕШТІ, ШАНОВНІ БАТЬКИ, ЦЕЙ БУКВАР СТВОРЕНО І ДЛЯ ВАС!

Майже на кожній сторінці ви знайдете докладні методичні поради щодо роботи із навчальним, ілюстративним та додатковим матеріалом. Це не лише полегшить вашу працю, а й допоможе вам уникнути типових помилок та прикрих негараздів на шляху до бажаного результату.

**Отже, робіть свій вибір,
а ми щиро зичимо вам успіхів
у нелегкій та благородній справі навчання та
виховання нашого майбутнього покоління!**

ЗАГАЛЬНІ ПОРАДИ БАТЬКАМ

 Навчаючи дитину читати, стимулюйте її інтерес до розпізнавання букв, складів та слів. Читайте разом із нею написи на вулиці, у транспорті, у газетах та книгах тощо. У цей період доцільно організовувати сімейні читання, грати з малюком у рими, учити напам'ять вірші. Як допоміжний наочний матеріал радимо придбати й використовувати «Абетку в картках» (ВД «Школа»). Це допоможе дитині краще запам'ятати образ букви та спонукатиме малюка самостійно утворювати склади і слова. Для сімейного читання можна використовувати картонні книжки нашої нової торгової марки «Дошколярик», що включають найпотрібніші та найкорисніші теми для розвитку дитини.

Перед початком заняття приділіть час підготовці дитини до читання, зніміть напруження та зайві емоції, налаштуйте дитину на робочий лад.

Різні діти мають різні здібності до засвоєння матеріалу. Тому треба дуже коректно визначати обсяг та складність завдань, оптимальні саме для вашого малюка. Припиняйте заняття у разі появи ознак стомлення, неуважності. Перші заняття мають тривати 5—7 хвилин. Згодом їх тривалість можна збільшити до 15 хвилин.

Виховуйте інтерес дитини до навчання. Пам'ятайте: що більше дитина прагне займатися, то ефективнішими є заняття. Процес навчання має стати частиною повсякденних ігор вашого малюка. Дорослий має брати участь у цих іграх разом із дитиною. При цьому в жодному разі не варто робити за дитину те, на що вона здатна сама. Але обов'язково допомагайте тоді, коли малюк не може впоратися без вас.

У жодному разі не заучуйте з дитиною всі букви одразу — це неправильно. Працюйте над букварем послідовно, від букви до букви, від сторінки до сторінки. Проте повернення до опрацьованих сторінок допомагає закріпленню набутих навичок і має стати системою. Паралельно з вивченням букв навчайте дитину писати друковані літери, зразки яких наведено на першому звороті обкладинки.

Навчання завжди пов'язане з помилками і негараздами. Виправляйте їх спокійно, доброзичливо. Не забувайте хвалити вашого маленького трудівника, відзначаючи найменші успіхи та досягнення. Закінчувати заняття треба на позитивних емоціях. Почитайте дитині додатковий матеріал, підбийте підсумки заняття. Обміркуйте, що ви робитимете на наступному занятті.

Процес вивчення нової букви починайте з ознайомлення з методичним матеріалом, наведеним наприкінці кожної сторінки. І нарешті, роботу над букварем почніть, прочитавши дитині звернення автора до неї.

Після закінчення роботи з букварем заповніть «Грамоту» наприкінці книжки, вставте її в рамочку та поставте на видному місці — вам і вашому малюкові насправді є чим пишатися.

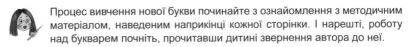

МАЛЕНЬКИЙ ЧИТАЧУ!

Ти вже досить доросла людина. Ти знаєш силу-силенну різних речей. Ти вмієш бігати та стрибати, чистити зуби та допомагати дорослим, умієш ліпити і малювати, розповідати вірші й казки. Але... ти не можеш сам прочитати ці слова. Це тому, що ти поки що не вмієш читати.

Читати — це означає розуміти те, що написано або надруковано за допомогою літер. Поглянь навколо — як багато слів написано на предметах. Ці написи хочуть про щось розповісти тобі: допомогти, підказати, попередити. Але для цього, як ти вже знаєш, треба навчитися читати.

Ти тримаєш у руках книгу, яка називається «Буквар». Це не проста книга. Можна навіть сказати, що це — чарівна книга. Завдяки їй багато хлопчиків і дівчаток вже навчилися читати. Це і твоя перша книга.

Працюй старанно та наполегливо, і тоді ти побачиш:

НАВЧИТИСЯ ЧИТАТИ ЗОВСІМ НЕ СКЛАДНО!

Отже, бажаємо тобі успіхів і...
перегортай сторінку!

Коли ми хочемо розповісти щось одне одному, ми розмовляємо. Для розмови люди вживають слова. Їх ми чуємо скрізь: удома, на вулиці, у транспорті тощо. Слова поєднуються у речення. Речення — це зазвичай кілька слів, які виражають певну думку.

1. Роботу над кожною сторінкою починайте з ознайомлення з методичними рекомендаціями, поданими внизу сторінки.

2. Стежте, щоб під час занять дитина не перевтомлювалася. На першому етапі дитині важко концентрувати увагу на навчальному процесі. Тому перші заняття мають тривати не більш ніж 5—7 хвилин. Потім їх тривалість можна поступово збільшувати.

3. Кожне наступне заняття починайте з перевірки знань та навичок, набутих на попередньому занятті. Робити це слід у невимушеній, ігровій формі.

Існують різні слова. Деякі з них називають певні предмети, наприклад: дзиґа, чашка, хліб.

Інші слова називають дії, наприклад: спати, летіти, стрибати. Ще є слова, які називають ознаки, наприклад: великий, смачний, червоний. Слова не можна відчути на дотик чи на смак, вони лише назви предметів, дій, ознак. Проте слова можна почути або побачити (якщо їх написано буквами).

Разом із дитиною доберіть приклади розповідних, питальних і спонукальних речень. Запропонуйте дитині визначити, які слова у наведених нижче реченнях є назвами предметів, а які — назвами дій чи ознак.

Червоне яблуко. Летить літак. Лежить цікава книга. Співає півень. Настінний годинник. Світить ласкаве сонечко.

Слова, які ми вимовляємо, складаються зі звуків. Звуки бувають голосні (наприклад: **А, О, У, И**) та приголосні (наприклад: **П, Д, С, Б**). Голосні звуки утворюються за допомогою голосу і вимовляються без перешкод. Їх можна проспівати: **А-А-А, О-О-О, У-У-У**. При вимові приголосних звуків на шляху голосу зустрічаються перешкоди (губи, зуби, язик тощо).

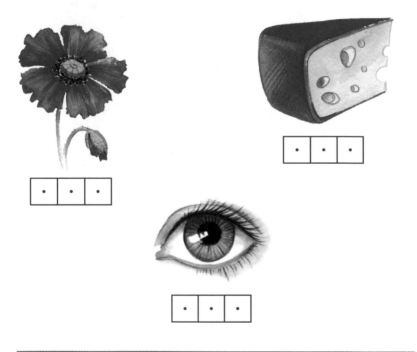

1. Попросіть дитину проспівати слова «мак», «сир», «око» — це допоможе їй зрозуміти різницю між голосними та приголосними звуками. Зверніть увагу на те, що деякі приголосні звуки можна тягнути (наприклад, **[ж]**, **[с]**, **[р]**), але проспівати без перешкод можна тільки голосні звуки.

На письмі — у книгах, газетах, оголошеннях — звуки позначаються літерами (буквами)*.

Буква — це ніби «портрет» звука. Запам'ятай: звуки ми вимовляємо і чуємо, а букви пишемо, бачимо і читаємо. Для позначення кожного звука існує своя буква. Що довше слово, то більше в ньому звуків. Отже, щоб записати це слово, потрібно більше букв.

---

2. Попросіть дитину на слух визначити, яке зі слів «кіт», «вікно», «телевізор» є найдовшим, яке — найкоротшим. Покажіть їй це на схемі слів (кожна крапка позначає звук). Попередьте, що згодом ми писатимемо замість крапок літери, які вивчатимемо далі.

---

*В українській мові слова «літера» і «буква» рівнозначні.

Слова поділені на склади. У слові стільки складів, скільки в ньому голосних звуків. Наприклад, у словах «дуб» та «дім» один склад, у словах «ри-ба» та «сон-це» — два склади, у словах «со-ки-ра» та «ба-ра-бан» — три. Поглянь, як відділено склади у схемах слів.

Якщо переставити склади у деяких словах, можна утворити нові слова. Ось поглянь: «бан-ка» — «ка-бан». Нове слово також може утворитися зі зміною наголосу: «за́-мок» — «за-мо́к».

---

1. Читаючи дитині слова по складах, вимовляйте їх чітко та роздільно. Щоб визначити, скільки складів має слово, запропонуйте дитині піднести кулачок до підборіддя. Скільки разів підборіддя натисне на кулачок під час вимовляння слова — стільки й складів.

2. Зверніть увагу дитини на рисочки над словами — наголоси. Розкажіть їй, що у голосних звуків є ще одна цікава властивість. Один із них у слові вимовляється чіткіше та голосніше за інші — він стоїть під наголосом, який на письмі позначається рисочкою. Промовляйте слова чітко й виразно, акцентуючи на наголошених голосних. Спробуйте змінювати наголос у словах, це допоможе дитині зрозуміти, навіщо він потрібен.

Аа

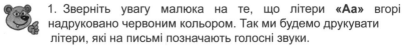

---

1. Зверніть увагу малюка на те, що літери **«Аа»** вгорі надруковано червоним кольором. Так ми будемо друкувати літери, які на письмі позначають голосні звуки.

2. Зверніть увагу дитини на те, що ми вивчаємо дві букви: велику і маленьку. Поясніть, що великі букви стоять на початку речень та імен.

3. Згадайте, які звуки називаються голосними. Проспівайте з дитиною звук **[а]**. Зверніть її увагу на те, як широко розкривається рот, коли ми вимовляємо цей звук.

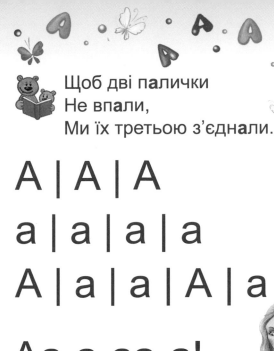

Щоб дві палички
Не впали,
Ми їх третьою з'єднали.

A | A | A

a | a | a | a

A | a | a | A | a

Аа-а-аа-а!

---

4. Запропонуйте дитині розглянути малюнки. З якої букви починаються назви намальованих предметів? Скільки букв «а» є в цих словах? Разом із дитиною розбийте слова на склади: áґ-рус, ав-то́-бус, а-на-на́с. Визначте в них наголошені склади.

5. Навчайте малюка читати букви, ведучи по рядку його вказівним пальчиком. Розкажіть, що букви у рядках завжди читають зліва направо.

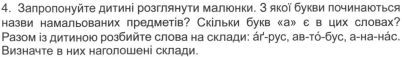

Уу

·	у	·	á

у	·	á	·

У | а | У | А

а | у | А | У

у | У | а | А

У-у-у-у

У | у | у | У | у

---

1. Розкажіть дитині, що звук **[у]** також голосний, як і звук **[а]**. Зверніть увагу на те, як ми складаємо губи, коли вимовляємо звук **[у]**, порівняйте з артикуляцією під час вимови звука **[а]**.

2. Запитайте, що зображено на малюнках. Де стоїть звук **[у]** в назвах цих предметів? Чи є у назвах інші знайомі звуки? Разом із малюком розбийте слова на склади, визначте наголошені звуки. Знайдіть знайомі букви.

3. Читаючи букви, пересувайте вказівний пальчик дитини по рядках (зліва направо) і по стовпчиках (згори вниз).

— Скажи, горобчику, чому
Ти так не любиш букву «у»?
— Погляньте, хлопчики й дівчатка:
Ця буква схожа на рогатку!

За Ігорем Січовиком

У долині жив удав:
Удавав, що все він знав.
Удавав, що все умів.
У траві хвостом вертів.
У ріку лише дивився —
Удавав, що вже умився.

За Ганною Чубач

Уа-уа!

4. Обміркуйте з дитиною характер та поведінку удава. Чи добре удавати з себе всезнайка? Чи не траплялися з нею подібні випадки, коли йшлося про вмивання? Зверніть увагу дитини на те, що всі рядки у цьому вірші починаються зі звука та букви **«у»**.
5. Не забудьте похвалити малюка за старанність, покажіть йому, що він робить успіхи, просувається вперед.

Оо

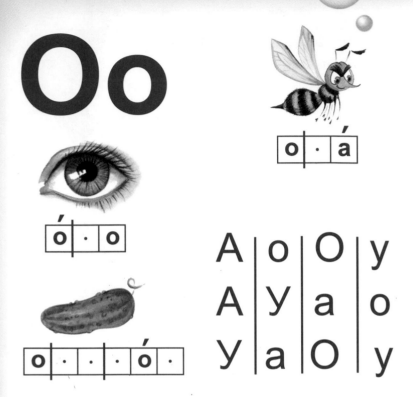

о	·	а́

о́	·	о

о	·	·	о́	·

А	о	О	у
А	У	а	о
У	а	О	у

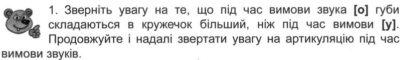

1. Зверніть увагу на те, що під час вимови звука [о] губи складаються в кружечок більший, ніж під час вимови [у]. Продовжуйте і надалі звертати увагу на артикуляцію під час вимови звуків.

2. Спитайте, що зображено на малюнках. Скільки звуків [о] у назвах цих предметів?

3. Читайте з дитиною букви у рядках, пересуваючи її вказівний пальчик зліва направо. Згодом дитина повинна навчитися робити це без вашої допомоги.

4. Починайте навчати малюка читати буквені сполучення. На цьому етапі важливо уникати читання сполучень по одній букві. Показавши пальцем (указкою, олівцем) на першу букву, слід безперервно «тягнути» її голосом, ведучи при цьому палець управо, аж поки не дістанетесь до другої букви, а тоді відразу її вимовляти.

Дивовижна буква ця —
Ні початку, ні кінця.

Буква «**о**» така **о**т кругла,
Хт**о** не бачив — п**о**дивись:
Наче с**о**нце, наче бублик,
М**о**в **о**бручик, — х**о**ч к**о**тись!
За Варварою Гринько

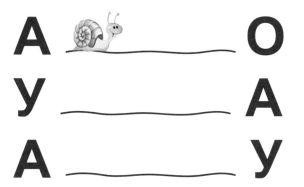

А ——————— О

У ——————— А

А ——————— У

Скажіть дитині: «Тягни першу букву, поки разом з равликом не дістанешся до другої, а тоді відразу вимовляй другу букву». Сполучення букв мають читатися разом!

5. Попросіть дитину показати на малюнку букви «**о**». Запропонуйте їй, роздивившись навколо, показати кілька предметів круглої форми, які нагадують букву «**о**».

6. Читайте вірші повільно, виділяючи голосом звук [о]. Під час читання пересувайте по рядках вказівний палець малюка, затримуючи його на буквах «**о**».

Мм

м а · · а́ · а

А ___ М

У ___ М

О ___ М

м а ·

м а́ · · а

ам | ум | ом

ма-ма   ма-му

---

1. Зверніть увагу дитини на те, що буква **«м»** вгорі синього кольору. Таким кольором ми будемо друкувати букви, які позначають приголосні звуки. Пригадайте, що ви знаєте про приголосні звуки. Чим вони відрізняються від голосних?

2. Закриті склади (останній звук — приголосний) треба читати за схемою, засвоєною на попередньому занятті: дитина тягне перший звук, пересуваючи палець доріжкою, і відразу називає другий. Уникайте побуквеного читання складів.

Букву «м» зуміли діти
Дуже легко утворити.

Ам-ам!

 + =

Му-му-му!

3. Будьте дуже уважні, переходячи до читання відкритих складів (останній звук — голосний). Неправильно говорити: «[м] і [у] — разом [му]». Треба казати: «[м], [у] — [му]». Слід уникати поширеної помилки, пов'язаної з роздільною вимовою звуків у складі. Поясніть малюкові, що в таких випадках спочатку вимовляється приголосний звук, а потім рот відразу розкривається для вимови голосного.
4. Тут і далі промовляйте не алфавітну назву букви, а звук, який вона позначає. Наприклад, показуючи букву «м», не треба говорити [ем] або [ме]. Слід вимовляти [м].

Нн

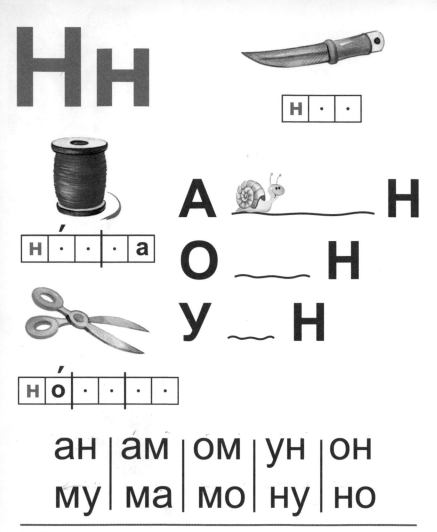

н	·	·

н́	·	·	а

А **Н**

О **Н**

У **Н**

но́	·	·	·	·

ан | ам | ом | ун | он

му | ма | мо | ну | но

1. Продовжуйте читати закриті та відкриті склади, звертаючи увагу дитини на особливості їх прочитання: у закритих складах перший звук тягнеться (співається), а потім без паузи вимовляється другий — приголосний звук. У відкритих складах спочатку вимовляється перший, приголосний звук, а потім рот одразу розкривається для вимови голосного звука. Стежте, щоб не припуститися побуквеного прочитання складів.

Буква «н» — немов драбинка:
Дошки дві і перетинка.

Відгадай загадку

Він не олень і не бик,
В Африці він жити звик.
Є на носі в нього ріг.
Це, звичайно, …

(носоріг.)

Н + А = НА

Н + У = НУ

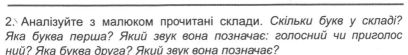

— На, ма-мо, .

---

2. Аналізуйте з малюком прочитані склади. *Скільки букв у складі? Яка буква перша? Який звук вона позначає: голосний чи приголосний? Яка буква друга? Який звук вона позначає?*
3. Прочитайте з дитиною речення. Не забудьте відзначити це досягнення. Зверніть увагу дитини на те, що речення починається з великої літери і закінчується крапкою. Із самого початку привчайте малюка виділяти інтонацією кінець речення.

Ии

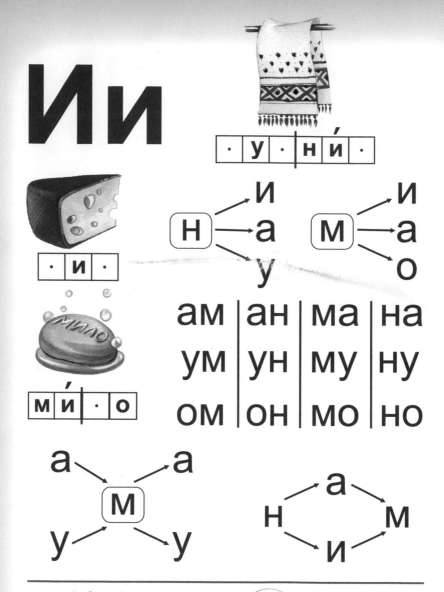

· у · н ѝ ·

· и ·

м ѝ · о

н → и
н → а
н → у

м → и
м → а
м → о

ам	ан	ма	на
ум	ун	му	ну
ом	он	мо	но

а → М ← а
у → М ← у

н → а → М
н → и → М

---

1. Зверніть увагу дитини на те, що велика буква **«и»** майже не вживається. Це тому, що велика буква завжди стоїть на початку слів, а в нашій мові майже немає слів, які починалися б на цю букву (здебільшого це деякі іншомовні власні назви).

2. Багаторазове уважне читання однотипних складів у рядок та стовпчик запобіжить виникненню у дитини звички читати за здогадкою.

«И» — це літера цікава!
Зліва **диви**ться направо
І, хоч голос гарн**ий** має,
Майже слів не почи**нає**.
М**и** її не ли**шимо** —
В алфавіт запи**шемо**.

За Ганною Чубач

ам – ам

ма – ма

му – му

У ма-ми ми.

3. Доцільно пропонувати малюкові для читання спочатку прості вправи, потім складніші.

Наприклад: спочатку закриті склади, потім відкриті, потім слова, потім речення.

ни – ні
ми – мі

мо – му
но – ну

на – ни
ма – ми

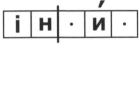

ма-ма
ма-мі

на-ми
ни-ми

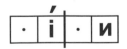

Ні-на Ін-на

Буква «і» — неначе свічка,
З ясним вогником вгорі.
А погасне — чорна нитка
Стане крапкою над «і».

За Варварою Гринько

Он мама і Ні-на.

У ма-ми 🍎🍎 .

— На, Ні-но, 🍎 .

Cc

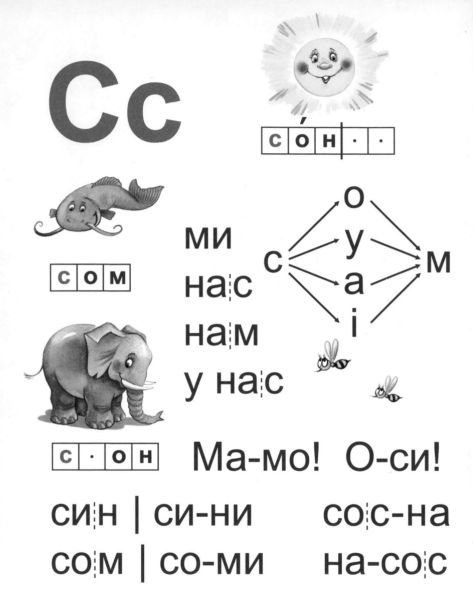

сон

с о н | · ·

сом

с о м

ми
на|с
на|м
у на|с

с → о
с → у
с → а
с → і
→ м

с · о н

Ма-мо! О-си!

си|н | си-ни   со|с-на
со|м | со-ми   на-со|с

---

1. Склади з трьох букв ми будемо розбивати для зручності читання вертикальною пунктирною лінією. Так, наприклад, у слові «на|с» дитина має спочатку разом прочитати «на», а потім «додати» звук **[с]**.

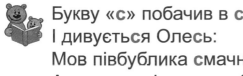

Букву «с» побачив в слові
І дивується Олесь:
Мов півбублика смачного,
А чому це він не весь?

За Варварою Гринько

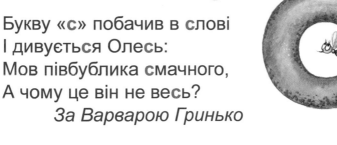

У ма-ми син.
У си-на сом.
— На, ма-мо, со-ма.

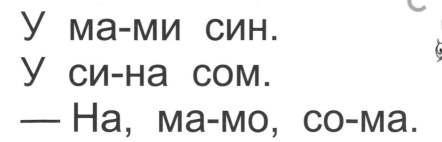

2. Важливо, щоб малюк, читаючи речення, розумів зміст прочитаного.
3. Прочитавши перше слово речення, нехай дитина промовить його ще раз, а потім відразу читає друге. Після цього попросіть сказати перші два слова і прочитати третє. Стежте, щоб дитина могла переказати зміст речення та оповідання.

Лл

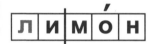

| лі́с | ми-ло |
| лис | ло-ми́ |

ли-мо-ни

ма-ло

ма́с-ло

смо-ла

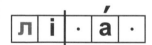

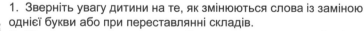

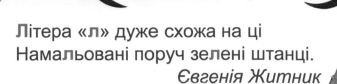

Літера «л» дуже схожа на ці
Намальовані поруч зелені штанці.

Євгенія Житник

Ма-ма ми-ла Лі-ну.
У ма-ми ми-ло.

Лі-на і Ні-на у лі-сі.
У лі-сі со-с-на.
У со-с-ни 🌰 і 🌿 .

---

4. Тут і надалі візьміть за правило ставити дитині запитання щодо змісту та структури оповідань. Наприклад: *Кого мила мама? Хто мив Ліну? Чим мама мила дівчинку? Скільки речень в оповіданні? Покажи, де починаються речення (великі літери) та де вони закінчуються (крапки). Скільки в оповіданні великих літер? Що вони позначають? Які слова називають предмети, а які — дії? Чи є в оповіданні слова, які називали б ознаки предметів?*

Кк

| ма | му | мо | ми |
| ка | ку | ко | ки |

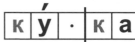

к | у́ | · | к | а

ко-ло

ко-ло·с

| с·ла | с·ма |
| с·лу | с·му |

| ма·к | о-са |
| с·ма·к | ко-са |

Ок-са-на

Ми-ко-ла

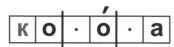

к | о | · | о́ | · | а

Я **к**лоун **к**умедний,
Я **к**лоун на славу.
Приходьте до мене
Скоріш на виставу!

Ко-ло к|лу-ні ма-ли-на.
У ма-ли-ні Ні-на.
У Ні-ни  .

ка
ма ⟩ли-на

У ма-ми мо-ло-ко.
– На, Ми-ко-ло, мо-ло-ко.
– На, Лі-но, ка-ка-о.

Вв

в	і	н	о́	к

ну	ва	но	ми
му	ма	во	ни
ву	на	мо	ви

в	о	в	к

ві́н   во-но́

во-на́   во-ни́

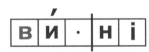

ві́к

ві́к-но

ві-но́к

на ⟩ лив
ви ⟩

---

1. Починаючи з наступної сторінки, ми пропонуємо дитині нову вправу: читання слів з однією незнайомою буквою. Це завдання не викличе в дитини утруднень, якщо ви допоможете їй знайти зв'язок між оповіданням та малюнком.

У лісі зеленім
Метелик літав.
Він літеру «в»
Дітворі нагадав.

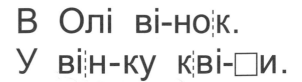

В Олі ві-но|к.
У ві|н-ку к|ві-□и.

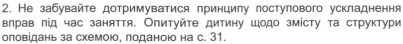

2. Не забувайте дотримуватися принципу поступового ускладнення вправ під час заняття. Опитуйте дитину щодо змісту та структури оповідань за схемою, поданою на с. 31.

3. Пам'ятайте: дитину не можна перевантажувати. Якщо завдань двох сторінок забагато — припиніть заняття після першої сторінки.

Ее

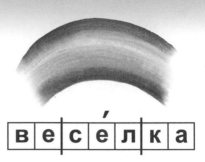

в	е	с	е́	л	к	а

е	с	к	і	м	о́

лос   сло
лас   сла
лес   сле
ліс   слі
лис   сли

О-ле-на
ле-ле-ка

Се-мен
ко-ле-со

са-ло
се-ло
си-ла
ве-се-ло
ве-сел-ка

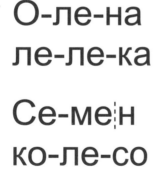

1. Обов'язково пояснюйте малюкові незнайомі слова.
2. Не забувайте звертати увагу дитини на те, що імена починаються з великих літер. Великі літери також стоять на початку речення. Кінець речення позначається крапкою.

Рідкий гребінь **Е**мма має,
Як ч**е**сатись ним — н**е** знає!

Відгадай загадку

Люблять дорослі і діти його,
Дуж**е** смачн**е** і солодк**е** воно.
У вашому роті розтан**е** само,
Лишиться паличка, ц**е** — ...

*(**е**скімо.)*

Ве|с-на

У се-лі ве|с-на.
На к|ле-ні ле-ле-ка.
Се-ме|н не-се .
У Ле-сі 🪣 .

Рр

ра|н   ро|м   рі|к
ре|в   ру|м   ри|к

си|р   ко-ра
ри|с   но-ра

р и́ · а

ру-ка   ра-но
рі-ка   ра-но|к

р а́ в л и к

ко-ро-ва
во-ро-на

р а к е́ · а

ко
но ⟶ ра
по

р
   у
     ка
  і

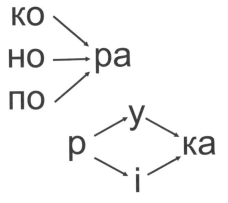

Равлик догори повзе,
Хатку на собі везе.
А спускатися почав —
Букву «**р**» нам нагадав.

Наталія Косенко

Ромашки **р**вати ми ходили
Над **р**ічкою в **р**ясній **т**раві
І **р**аптом **р**авлика зуст**р**іли
Із **р**іжками на голові.

Наталя Забіла

Ро-мі сі́м ро-кі́в.
А Ма-ри-ні ві-сі́м.
Ро-ма ми́в ру-ки.
Ма-ри-на ва-ри-ла су́п.

Не забувайте стежити за тим, щоб дитина виділяла інтонацією кінець речення. Опитуйте дитину щодо змісту та структури тексту.

39

Пп

па   по   пе   па|н
пу   пи   пі

пи|л

пе|с

ла
ⅼ
па
ли
ⁱ

па|л
ⁱ
ка
пи|л
ⁱ

п	и	р	і́	·

па-пі|р   Па|в-ли|к

ма|в-па   Пи-ли|п

пі|в-ни|к   Па-на|с

п	а	п	у́	·	а

ПИЛИП
←——————→

Процес навчання передбачає також вправи на практичне застосування набутих знань і навичок. Пропонуйте дитині читати нескладні написи великими літерами в газетах, на вулиці, у транспорті тощо. Водночас необхідно дбати про загальний розвиток дитини: організовувати сімейні читання, вивчати з дитиною вірші, пісні, скоромовки, спонукати її до активізації мовленнєвої діяльності (складати оповідання за малюнками, грати в рими тощо).

Гарні хлопці-молодці
Закопали два стовпці.
Третій їм допомагав —
Поперечину поклав.
І на втіху дітворі
Буква «п» вже у дворі.

Варвара Гринько

На по-лі ко-ро-ви.
— Му-му!
Мо-ло-ка ко-му?

Па-нас і Пи-лип пи-са-ли.
Па-нас на-пи-сав МА-МА.
Пи-лип на-пи-сав МИР.
Кра-си-во на-пи-са-ли!

Тт

т а р і́ л к а

лис — ліс

кит — кіт

кут — тук

мак — лак

л і · т а́ р

та
лі → то
си

т и · р

лі-то   ті́с-то

ті-ло   ті́с-но

Та-ра́с   трак-тор

---

1. Запропонуйте дитині визначити, чим відрізняються слова у парах (переставлено букви або склади, змінено одну чи кілька букв). Можна навіть підкреслити букви, якими відрізняються слова.

2. Може бути, що обсяг матеріалу, з яким дитина легко впоралася на попередньому занятті, був більшим, ніж сьогодні. Це цілком нормально, адже на працездатність малюка впливає багато чинників. Ніколи не треба примушувати дитину працювати понад силу. Пам'ятайте, що навчання — це завжди радість.

3. До речі, якщо ваш малюк сам прочитав слово «трактор», вітаємо вас і його — це вже неабиякий успіх!

Молоточок, молоточок,
Поможи забить гвіздочок!
Молоток ми розглядали,
В ньому букву «т» впізнали!

У ко-мо-рі тем-но.
Тут ко-тик Тим-ко.
Він ло-вив  .
Во-на ма-ла та сі-ра.

І-ме-ни-ни

У ма-ми і-ме-ни-ни.
Та-рас при-ніс кві-ти.
А та-то — торт.

Ш ш

ша — шу
ши — ші
шо — ше

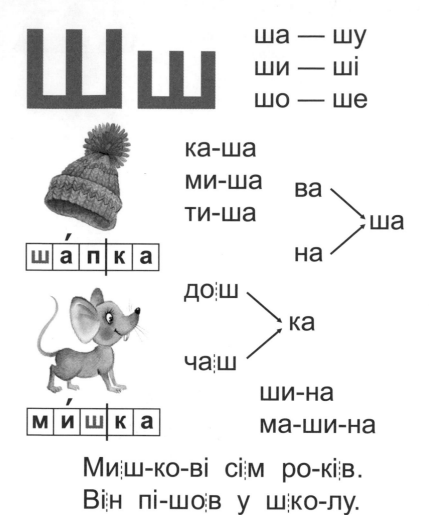

ка-ша
ми-ша
ти-ша

ва
на
→ ша

ш а́ п к а

до ш
ча ш
→ ка

ши-на
ма-ши-на

м и́ ш к а

Ми-ш-ко-ві сі-м ро-кі-в.
Ві-н пі-шо-в у ш-ко-лу.

У Наталки в гребінці
Відламалися зубці.

Прочитайте разом із дитиною (ви перше слово, дитина — друге), знайдіть відповідних мишенят на малюнку.

у мiш-ку
на мiш-ку
за мiш-ком
пiд мiш-ком
над мiш-ком
перед мiш-ком

У лi-сi му-раш-ник.
Тут му-раш-ки.
Во-ни ко-рис-нi.

Дд

да — та | ди — ти
до — то | ді — ті
ду — ту | де — те

ді • ти
ди • во → ДІД
ди • ні

дім

дім	ди-ти-на
дим	до-ли-на
дам	Да-ни-ло

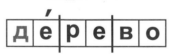

де́рево

Да-ни-ло і-де у двір.
У дво-рі ді-ти. Там ве-се-ло!

Запропонуйте дитині прочитати слова «діти», «диво», «дині», не рухаючи головою та дивлячись на крапки посередині слів. Це вправа на розширення кута читання.

Буква «**д**» — неначе **д**ім.
Хто живе у **д**омі тім?
З**д**огадалися, мабуть, —
В ньому літери живуть.
За Ігорем Січовиком

Відгадай загадку
Мене частенько
Кличуть люди,
А як прийду —
Ховатись будуть.
(Дощ.)

Сад

Ко-ло до-му сад.
У са-ду де-ре-ва.
А ми са-ди-мо кві-ти.

З з

з	о́	ш	и	т

за	со	зу	си
са	зо	су	зи

ЗАРА́З

з	а́	м	о	к

зо-ла   ко
ло-за   ло ⟶ за
        ва

зли
     ва   ко-за
сли   ко-зак

з	а	м	о́	к

зла – зло – злу   зір-ка
сла – сло – слу   каз-ка

 Звертайте увагу на те, чим відрізняються слова у парах (наприклад, додано букву, букви переставлено місцями).

З З З З

Тут зміючка проповзала,
Букву «з» нам нагадала.

У То-лі ко-са.
У Зі-ни ко-за.
У ко-зи ро-□и.

Зи-ма

На-дво-рі мо-роз.
У нас ков-за-ни.
У Зі-ни  .
Зі-на ве-зе Лі-зу.

З

З

З

Бб

ба	бо	бу	би	бі
па	по	пу	пи	пі

з:ба	з:бо	з:бу	з:би
с:па	с:по	с:пу	с:пи

бо-ро-на́
бо-ро-да

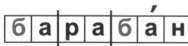

б у́ б л и к

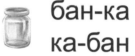 бан-ка
ка-бан

б а р а б а́ н

б а н а́ н

На бе́-ре-зі бо-бер.
На бе-ре́-зі біл-ка.

 Зверніть увагу дитини на те, як змінюється значення слів при зміні порядку складів чи наголосу.

Буква «б» — як бегемотик,
Що вхопився за животик.
За Лілією Андрієнко

Біля озера щодня
Бавить жаба жабеня.
Обіймає лапкою,
Називає жабкою.
Леонід Куліш-Зіньків

Бо-рис пі-шов на рі-ку.
На бе́-ре-зі пі-сок.
Бо-рис бу-ду-вав бу-ди-нок.

Гг

г	а	р	б	у́	з

гал	ген	гак
гол	гін	гук

г	р	и	б

біг	но-ра	гол
бік	го-ра	гол-ка

У по-лі до-ро́-га.
До-ро-га́ ма-ши-на.

г	у	с	а́	к

Ми на го-ро-ді.
Гар-но у-ро-ди-ли о-во-☐і.
Тут гар-бу-зи й о-гір-ки.

Буква «ґ» — поглянь яка:
Схожа геть на гусака.
Спритно шию вигинає
Й слів багато починає:
Голос, грім, гриби, Ганнуся,
Гречка, гори, голуб, гуси.

Наталія Косенко

На-дво-рі бу-ла гро-за.

Гри-мів грім.

А ми бу-ли вдо-ма.

Ми гра-ли в ма-га-зин.

У Га-лі ва-ги.

А у Гна-та гро-ші.

 У разі потреби необхідно розділити текст на дві частини: першу читає дитина, а другу — дорослий.

ґ|у́|д|з|и|к

ґа	ґу	ґо	ґи	ґі
ка	ку	ко	ки	кі

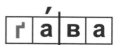

ґ|а́|в|а

ґа-ва   аґ-рус   ґа-нок

д|з|и́|ґ|а

Ко-ло ґан-ку гу-си.
А тут при-ле-ті-ла ґа-ва.
— Ґа-ґа-ґа! Ле-ти, ґа-во, з ґан-
ку!

1. Обов'язково поясніть дитині різницю у вимові звуків **[г]** і **[ґ]**.
2. Не забувайте опитувати малюка щодо змісту та структури текстів. Пояснюйте дитині значення нових для неї слів (ґанок, ґазда тощо).

Ґуля, ґава, ґанок, дзиґа,
Ґедзь, ґринджоли і ґирлиґа*,
Аґрус, ґрати, ґудзик, ґрунт —
Буква «ґ» є всюди тут.

Наталія Косенко

Ко-ло ґан-ку ґру-ша.

По-ліз Гнат на ґру-шу і у-пав.

На-бив ґу-лі.

Не пла□, Гна-те.

---

* Ґирлиґа *(застаріле)* — палиця вівчаря.

Чч

| ч | е | р | е | в | и́ | к |

ча	чі	че	чи	чу
ач	іч	еч	ич	уч

| ч | а́ | ш | к | а |

ніч   ніч-ка

piч   піч   піч-ка

руч → ка

кач

час

час-то

час-ни́к

| г | а | ч | о́ | к |

Ма-річ-ка і-де до шко-ли.

Во-на бу-де чи-та-ти і лі-чи-ти.

У Ма-річ-ки но-ва руч-ка.

Пи-ши гар-но, Ма-річ-ко.

---

1. Розкажіть дитині, що звук [ч] в українській мові завжди вимовляється твердо.

Ось стілець перевернувся —
І на «ч» він обернувся.

пе-че | руч-ка
пле-че | кур-ча

В о-че-ре-ті ча-п-л☐.
У чов-ні Ми-ко-ла.
Кач-ка пли-ве че-рез річ-ку.

2. На цьому етапі дуже корисно грати з дитиною у рими. Це сприяє поліпшенню звукового аналізу, а також підвищує загальний рівень розвитку дитини. По черзі називайте слова, до яких інший має знайти риму. На першому етапі припустиме вигадування дитиною слів, які не мають значення, але римуються із загаданим словом. Спробуйте також давати дитині підказки. Наприклад, тримаючи у руках чашку, попросіть дитину дібрати риму до слова «ромашка» і так далі.

Хх

х м а́ р а

га — ха	ги — хи
гу — ху	ге — хе

х л і б

хва	хма	хла	хра
хву	хму	хлу	хру
хви	хми	хли	хри
хво	хмо	хло	хро

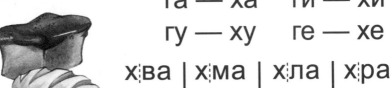

пух	міх	го-рох
рух	сміх	го-ріх
дах	ти-хо	ха-та
шах	су-хо	хут-ро

г о р і́ х

У ха-ті бу-ло ти-хо.
А тут му-ха.
— З-з-з-з!
— Ти-хо, му-хо.
Не лі-та☐ над ву-хом!

А ось дві палички схрестились —
Й на букву «х» перетворились.

Запитав у Зіни Гліб:
— Звідкіля береться хліб?
Розвела руками Зіна:
— Звідкіля ж? Із магазину!

Євген Бандуренко

І-де зи-ма.

Зи-ма мо-роз-на.

А нам не хо-лод-но.

Ми хо-че-мо гра-ти в хо-ке□.

Хо-ді-мо!

Цц

цу-кор
цу-кер-ка

ли • це
міс • це
сон • це

ц у к е́ р к а

ц и б у́ л •

Лі-то. Спе-ка.
Цу-цик Це-зар бі-гав
на ву-ли-ці.
Це-зар за-хо-тів пи-ти.
— На, цу-ци-ку, во-ди-ці.

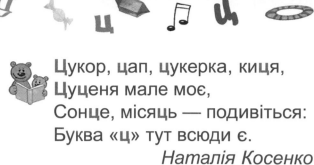

Цукор, цап, цукерка, киця,
Цуценя мале моє,
Сонце, місяць — подивіться:
Буква «ц» тут всюди є.

Наталія Косенко

сер ⟍
⟍ це
сон ⟋

су ⟍
⟍ ни-ці
си ⟋

Цирк

Ми бу-ли у цир-ку.
Там ці-ка-во.
Цап бу-цав ⚽.
Кло-ун грав на дуд-ці.
Нам ку-пи-ли цу-кер-ки.
У цир-ку ве-се-ло.

Й й

чай — чий
гай — рай
мій — мий
рій — рий

чай
гай ⟩ка
май

| й | о | р | · |

| ч | а | й |

За се-лом гай.
Тут па-сі-ка. У ву-ли-ку рій.
Бу-де гар-ний мед.
І гре-ча-ний, і ли-по-вий.

 Стежте за правильною, чіткою вимовою звука [й]. Цей звук — завжди м'який!

— Ей, малий! Ти хто такий?
— Я — не хто, а буква «й».
Щоб мене не сплутать з «и»,
В мене є берет новий,
Не великий, не малий,
Подивіться, ось який!

Ганна Чубач

буквосполучення

гай	чай
га-**йок**	ча-**йок**

йод   ма-йор
йог   ма-йо-нез

ЙО

читай разом!

Йо-сип у-пав.
У Йо-си-па ран-ка.
У ма-ми йод і бинт.
Во-на йо-го лі-ку-ва-ла.

Ь

Н	З	С	Т	Д
↓	↓	↓	↓	↓
нь	зь	сь	ть	дь

день куль біль

пень нуль ціль

син — синь	бул-ка
рис — рись	буль-ка

к	і	н	ь

низь-ко віль-но

вузь-ко силь-но

Осінь

Ось пень.

За ним о-пень-ки.

А ось бі-лий гриб.

О-це кра-сень!

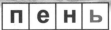

п	е	н	ь

1. Зверніть увагу дитини на те, що м'який знак угорі не синього і не червоного кольору. Це тому, що він не позначає якогось конкретного голосного або приголосного звука. М'який знак лише позначає м'якість попереднього приголосного.

2. Вправи на цій сторінці доволі складні, тому будьте уважними й доброзичливими. Не обов'язково виконувати всі вправи за одне заняття.

Узяли ми букву «р»
І поставили отак.
Що ми маємо тепер?
М'який знак!

Ігор Січовик

ЛЬО́Н   СЬО-МИЙ   *буквосполучення*
ЛЬО́Х   ЛЬО́Т-ЧИК

читай разом!

СЬО-ГОД-НІ
КО-ЛЬО-РО-ВИЙ

Ось по-ле.
На ньо-му рос-те льо́н.
З льо-ну бу-де тка-ни-на.
З тка-ни-ни бу-де о-д□г.

Жж

жа	жу	же	жи
ша	шу	ше	ши

жир	жи-ти	жа
жар	жи-то	жо
жар т	жит-ло	жу
		жі

ка-жан	ріж-ки	же
ка-зан	різ-ки	

У цьо-го жу-ка ве-ли-кі ріж-ки.
То-му йо-го на-зва-ли о́-ле-нем.
Він ве-ли-кий і ду-жий.

1. Порівняйте під час читання пар складів звучання [ж] і [ш].
2. Стежте за дзвінкою вимовою звука [ж], особливо всередині та в кінці слів.

Я узяв нитки червоні
І дві букви «к» зв'язав,
А тоді синочку й доні
Букву «ж» я показав.

Відгадай загадку

Така велика, довгошия
І вища за найбільшу шафу,
Така розумна і красива
У зоопарку є ...

(жирафа.)
Ігор Січовик

Ми-ко-ла в же мо-же чи-та-ти.
У ньо-го но-ва книж-ка.
Во-на ду-же ці-ка-ва.
У книж-ці різ-ні зві-рі:
мор-жі, сло-ни, жи-ра-☐и.
А ти мо-жеш чи-та-ти?

 мій — мо-ї   гай — га-ї
т·вій — т·во-ї змі·й — змі-ї

і-хав   ї-жа
по-ї-хав   ї-жак
за-ї-хав   ї-жа-чок
ви-ї-хав   ї-жа-чи-ха

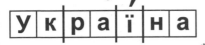
у|к|р|а|ї|н|а

Їжак шу-кав ї-жу.
Бі-гав у тра-ві і со-пів.
За-єць по-чув і в·тік.
Ду-мав, що це вов·к.
А це про-сто ї-жак.

 Літера «ї» завжди позначає два звуки: ї=[й+і].

«I» без «ї» не ступить кроку.
Поміж ними свар нема.
«I» до «ї» моргає оком,
«ї» у відповідь — двома.

Ігор Січовик

По-їзд-ка

Ма-ма і Ра-ї-са ї-дуть по-їз-дом до ба-бу-сі Зої.
Во-на зус-трі-не їх на вок-за-лі.
Ось і Київ!
Це ве-ли-ке і кра-си-ве міс-то.
Там ба-га-то му-зе-їв.

Яя

я-ма | як
Я-на | ма-як

ра	на	за	да	та
ря	ня	зя	дя	тя

я́блуко

я-ли-на   яс-на
Я-ри-на   яс-но
            яс-ні

я́кір

бу-дяк   ди • ня
бу-ряк   до • ня
мо-ряк   ня • ня

ши-я   о-лі-я   не-ді-ля   яб-лу-ко
мо-я   яй-це   зо-зу-ля   яб-лу-ня

1. Буква **«я»** на початку складів і після апострофа позначає одразу два звуки: **я=[й+а]**, а після букв, що позначають приголосні звуки — один звук **[а]**. Схоже «поводяться» й літери **«є»** і **«ю»**. Але, спираючись на практичний досвід, автор не вважає за доцільне переобтяжувати дитину надмірним теоретичним матеріалом. Тому ці літери, як такі, що можуть утворювати склад, надруковано червоним кольором. Більш докладні відомості про звуковий аналіз слів ви знайдете наприкінці букваря. Порадьтесь із вихователькою вашої дитини в дитячому садку щодо обсягу теоретичного матеріалу зі звукового аналізу, оптимального для вашого малюка.

Яма, м'**яч**, **я**линка, **я**кір,
Ящірка, **я**йце, **я**гня́, —
Відшукай у кожнім слові,
Де сховалась буква «**я**».

Наталія Косенко

На га-ля-ви-ні

Яс-ний день. Со-няч-но.
Яна гу-ля-ла в лі-сі.
Там я-ли-ни, я-се-ни́ і я-во-ри́.
На га-ля-ви-ні яб-лу-ня.
Яна зби-ра-ла я-го-ди.
А ось зай-че-ня.
Во-но за-хо-ва-ло-ся в я-му.
Яна за-смі-я-ла-ся:
— Не ля-кай-ся, зай-че-ня!

2. Якщо обсяг тексту виявиться завеликим для дитини, зробіть паузу після першої частини, а потім дочитайте самостійно вголос.

Єє

не де ме те ле
єн єд єм єт єл

ки-да-є	ко-ти
чи-та-є	но-ти
ві-та-є	є-но-ти

мо-є ниж-нє си-нє
тво-є жит-нє літ-нє

| є | н | о́ | т |

ми
го-ту ——— є
слу-ха

є-нот
за-єць

| з | а́ | є | ц | ь |

| я | є́ | ч | н | я |

Си-ній па-рус, си-нє мо-ре.
Си-нє не-бо не-о-зо-ре.

Буква «є». Яка вона?
Ніби скибка кавуна.
Кавуна маля просило —
Двічі скибку надкусило.

За Варварою Гринько

У Єви брат Єв-ген.
У Єв-ге-на є пле-єр.
Він слу-ха-є му-зику.
А Єва чи-та-є.
Во-на уже зна-є всі бук-ви.
Єва мо-ло-дець!

Юю

юн   юр
↘   ↗ ↘
ню   рю
юл   юс
↘   ↗ ↘
лю   сю

чи-та-ю   Юля
ма-лю-ю   Юра
бі-га-ю   Ю-хим

| ю | н | г | а |

пра-цю-ю   гра-ю
тан-цю-ю   спі-ва-ю
по-лю-ю   пла-ва-ю

| м | а | л | ю | к |

| к | л | ю | ч |

Юр-ко гу-ка-є:
— Ма-мо, глянь!
Я бі-га-ю, як ві-тер!

74

Букву «**ю**» я впізнаю —
Трохи дивна буква «**ю**»:
Нібито до ясена
Буква «о» прив'язана.

Варвара Гринько

У Юри і Юлі є ба-бу-ся.
У лю-то-му в неї бу-де
ю-ві-лей.
Юля ка-же:
— Я по-да-ру-ю ма-лю-нок!
А Юра ка-же:
— Я куп-лю тю-ль-па-ни.

Щщ

що   ще

ща   щу

до
ку — щ
ля

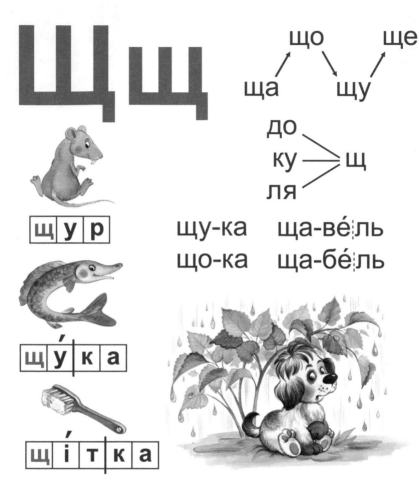

щ	у	р

щу-ка   ща-ве́ль
що-ка   ща-бе́ль

щ	у́	к	а

щ	і́	т	к	а

О-сінь. На ву-ли-ці і-де дощ. Під ку-щем си-дить ще-ня. Во-но хо-ва-єть-ся від до-щу.

Розкажіть дитині, що буква **«щ»** завжди позначає два приголосних звуки: **щ=[ш+ч]**. Потренуйтесь у правильній вимові цього звукосполучення. Зверніть увагу на його тверду вимову.

Буква «щ» на щітку схожа.
Щітка всюди допоможе:
Щось почистить, щось помиє —
Це найкраще щітка вміє.

Наталія Косенко

Іди, іди, дощику,
Зварю тобі борщику
У новенькім горщику.
Мені каша, тобі борщ,
Щоб ішов рясніше дощ.

прі-з-ви-ще

ще-бе-та-ти

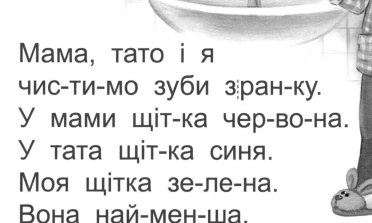

Мама, тато і я
чис-ти-мо зуби з-ран-ку.
У мами щіт-ка чер-во-на.
У тата щіт-ка синя.
Моя щітка зе-ле-на.
Вона най-мен-ша.

Фф

фа | фе | фи
фу | фо | фі

фар-ба   фа • ра
фар-би   фа • зан

ф а́ р б и

Фе-дір
Федь-ко
Фе-до-рен-ко

д е л ь ф і́ н

т е л е ф о́ н

Фі-о-ле-то-вий фло-мас-тер.
Фі-о-ле-то-ві фі-ал-ки
на ма-люн-ку у На-тал-ки.

Що це, що це за підскоки?
Це у кого руки в боки?
Федір — танцюрист пригожий
І на букву «**ф**» він схожий!

За Варварою Гринько

те-ле-фон фер-ма
фут-бол

Фільм

Со-фі-я і Фе-дір ди-ви-лись фільм.

Фільм був про Аф-ри-ку.

Там жи-ву-ть сло-ни, жи-ра-фи.

А у мо-рі — дель-фі-ни.

Фільм був ду-же ці-ка-вий.

’

В українській мові є один дуже цікавий знак.

Він такий поважний та пихатий, що навіть стоїть не поряд з іншими буквами, а трохи вище від них. Але на нього ніхто не ображається, бо він насправді дуже потрібний. Цей знак показує твердість вимови приголосного звука, за яким стоїть.

Ось послухай і порівняй: **буряк — бур'ян**, **буря — пір'я**, **пюре — п'ю**. Чуєш різницю: **ря — р'я**, **пю — п'ю**?

п	і	р	я

п'є	п'ю	м'яч
в'є	в'ю	м'я-та
б'є	б'ю	п'я-та

5

п'	я	т	ь

По-са-ди-ли ми бу-ря-ки.

А на городі виріс бур'-ян.

Ми з татом рве-мо бур'-ян.

А мама зби-ра-є м'я-ту.

Із м'я-то-ю сма-ч-ний чай.

Його лю-бить вся наша сім'-я.

П'явка, в'юн, пір'їна, в'ється —
Знак апострофом зоветься.
П'ять цукерок з'їв хом'як —
Дуже симпатичний знак!

Ігор Січовик

в'юн	м'я-со	бу-ря
в'юк	п'є-са	бур'-ян

Хом-ка

У Дем'-я-на жив хом'-як.
Звали його Хомка.
Їв Хомка мор-к ву, буряк.
Гриз сухарики.
Щоки у Хомки роз-ду-ва-ли-ся.
Він з'ї-дав усе і зни-кав.
А за шафою він мав комору.
Туди він носив їжу про запас.

Засвоєння правил читання слів з апострофом — доволі важке завдання для дошкільника. Деякі методисти взагалі не вважають за доцільне вивчати правила читання слів з апострофом із дітьми віком до шести років. Але практика свідчить, що більшість дошкільників певною мірою здатні оволодіти навичками читання таких слів. Головне — не переобтяжувати їх теорією і не вимагати зайвого. Нехай дитина читає доти, доки їй це подобається.

 читай як один звук

буквосполучення   буквосполучення

дж̑а — дз̑а   дж̑е — дз̑е
дж̑у — дз̑у   дж̑и — дз̑и
дж̑о — дз̑о   дж̑і — дз̑і

дз̑во-ник

хо
си
во   дж̑у
бу

ку-ку-ру-дз̑а

дж̑е-ре-ло
дж̑ем-пер
дз̑ер-ка-ло

ґу-дз̑ик

джем
джин
дзво-ник
дзво-ни-ки

Джміль гуде,
Бджо-ла гуде —
Хто кого пе-ре-гу-де?!

У лісі дзюр-чить джерело.
Вода чиста і смач-на.
Коло джерела дзво-ни-ки.
Біля них джме-лі.
Джме-лі корисні.

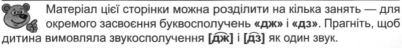

Матеріал цієї сторінки можна розділити на кілька занять — для окремого засвоєння буквосполучень **«дж»** і **«дз»**. Прагніть, щоб дитина вимовляла звукосполучення [дж] і [дз] як один звук.

гроші	дірка	шишка
груші	зірка	мишка
миші	нірка	дошка
лижі	гірка	ложка

Кішка

Мишко і Жанна гуляли по стежині.
Вони побачили кішку.
Кішка жалібно нявчала.
Їй було холодно.
Діти пожаліли кішку.
Забрали її додому.
Живе кішка у Мишка і Жанни.

З цієї сторінки слова і тексти подаються дрібнішим шрифтом. Цей матеріал рекомендуємо для тренування дітям, які добре читають.

коза	білка	суниця
коса	балка	синиця
рука	ранок	малина
ріка	ґанок	калина

Помічники

Вечір. Тато і мама ще на роботі.
А Вова та Марічка вдома.
Вони прибрали в кімнаті.
Вова приніс кар-топ-лю і щавель.
А Марічка зварила смач-ний борщ.
Добра буде вечеря.
А тут і мама з татом!
— Спасибі, помічники!

Миш-ко

Мишко пише.
Мишко пише у зошиті.
Мишко пише букви у зошиті.
Мишко пише букви у новому зошиті.

на кріслі
під кріслом
за кріслом
біля столу
над столом

Я малюю та пишу.
Ти малюєш та пишеш.
Ми малюємо та пишемо.
Він малює та пише.
Вони малюють та пишуть.

ложка з дерева   —   вона дерев'яна
банка зі скла   —   вона …
бриль із соломи   —   він …
гвіздок із заліза   —   він …
човник із паперу   —   він …

Зайчика з-ля-ка-лись

Ми ходили по гриби,
Зайчика злякались,
Поховались за дуби,
Роз-гу-би-ли всі гриби,
Потім за-смі-я-лись:
Зайчика злякались!

Платон Воронько

Запашний, свіжий, духмяний — хліб
Солодке, червоне, соковите — ...
Пухнаста, руда, хитра — ...
Прозора, джерельна, холодна — ...
Гіллясте, зелене, дуплисте — ...

Бо-я-гуз

Сашко був бо-я-гу-зом.
Почалася гроза, і за-гур-ко-тів грім.
Сашко заліз у шафу.
Там було темно і тісно.
Сашко не чув, чи минула гроза.
Сиди, Сашко, довго у шафі.
Бо ти боягуз.

Ура! Я можу сам читати —
Не треба маму у-мов-ля-ти.
Сес-тру просити без зупинки,
Щоб прочитала ще сторінку.
Не треба смикати бабусю —
Читати вам ніхто не мусить.
Навіщо нудитись, чекати —
Самому можна все читати!

За Валентином Берестовим

ЗВУКОВИЙ АНАЛІЗ СЛІВ (ДОВІДКОВИЙ МАТЕРІАЛ ДЛЯ БАТЬКІВ)

Для розмови ми використовуємо слова, які складаються зі звуків. Звуки бувають голосні та приголосні. Приголосні можуть бути твердими та м'якими. Слова поділяються на склади. У слові стільки складів, скільки у ньому голосних звуків. Щоб визначити, скільки складів у слові, треба піднести кулачок до підборіддя: скільки разів підборіддя натисне на кулачок при вимові слова, стільки й складів.

Звуки

голосні (звук не зустрічає перепони, його можна проспівати)

приголосні (звук зустрічає перепону)

Позначення голосних звуків

Позначення приголосних звуків тверді / м'які

Наприклад: м а м а   т е л е ф о н   м і й

Приголосні м'які, якщо після них ідуть **Я, Ю, Є, І, Ь.**

Приголосні тверді, коли вони стоять у кінці слова або після них ідуть **А, О, У, И, Е,** апостроф чи інші приголосні.

Винятки:

[Й] — завжди м'який звук.

буква **Щ** — завжди позначає два звуки **[Ш+Ч].**
[Ч], [Ш] — завжди тверді звуки.

буква **Ї** — завжди позначає два звуки **[Й+І].**

М'який знак і **апостроф** не є звуками, вони лише позначають м'якість або твердість попередніх приголосних.

ДЖ, ДЗ — ці сполучення букв завжди позначають один звук (відповідно **[дж]** та **[дз]**).

Наприклад:

р і й

щ и т

ї ж а

л о сь

дз в і н

«Йотовані» голосні:

Я
Ю
Є — на початку слова, після голосного звука, після апострофа позначають два звуки; в інших випадках — один і позначають м'якість попереднього приголосного.

Ї — завжди позначає два звуки **[й+і].**

Наприклад: я м а   с о я   м' я ч   м а л ю н о к

ПОХВАЛЬНА ГРАМОТА

НАГОРОДЖУЄТЬСЯ

_____

ЗА НАПОЛЕГЛИВІСТЬ,
ПРАЦЕЛЮБНІСТЬ
І СТАРАННІСТЬ.

_____ РОКУ

ВІН ЗАКІНЧИВ ВИВЧАТИ
БУКВАР « ЧИТАЙЛИК»
І ТЕПЕР
УМІЄ ЧИТАТИ САМ!

Молодець!

ПОХВАЛЬНА ГРАМОТА

НАГОРОДЖУЄТЬСЯ

_____

ЗА НАПОЛЕГЛИВІСТЬ,

ПРАЦЕЛЮБНІСТЬ

І СТАРАННІСТЬ.

_____ РОКУ

ВОНА ЗАКІНЧИЛА ВИВЧАТИ

БУКВАР « ЧИТАЙЛИК »

І ТЕПЕР

УМІЄ ЧИТАТИ САМА!

Молодець!

СПИСОК ВИКОРИСТАНОЇ ЛІТЕРАТУРИ

1. Баженова М. О., Момонт Н. В. Хочу навчитися читати: Буквар для малят. — Донецьк: Сталкер, 1999.
2. Білецький М. С. Весела книжка. — К.: Веселка, 1989.
3. Богуш А. М. Мова ваших дітей. — К.: Рад. шк., 1990.
4. Будна Н. О., Рядова С. І. Супутник букваря. — Тернопіль: Навчальна книга — Богдан, 2001.
5. Вашуленко М. С., Скрипченко Н. Ф. Буквар: Підручник для 1 класу. — К.: Освіта, 2001.
6. Віконце. Мій перший буквар. — Кіровоград: Кіровоградське державне видавництво, 1998.
7. Гамалій А. Т. Ігри та цікаві вправи з української мови. — К.: Рад. шк., 1990.
8. Гнатюк О. В. Прописи із завданнями для розвитку мовлення. — Х.: Скорпіон, 2001.
9. Гринько В. П. Букварик-Веселик. — К.: Веселка, 1990.
10. Джежелей О. В., Коваленко О. М. Вчуся читати. — Х.: Ранок, 2000.
11. Жукова Н. С. Букварь. — М.: ЭКСМО-Пресс, 2001; Екатеринбург: АРТ-ЛТД, 2000.
12. Забіла Н. Л. Твори: У 4 т. — К.: Веселка, 1973.
13. Мухаметдинова С. Н. Азбука. — Екатеринбург: У-Фактория, 2001.
14. Народ скаже — як зав'яже: Укр. народні прислів'я, приказки, загадки. — К.: Веселка, 1971.
15. Наша мова солов'їна. — К.: Веселка, 1990.
16. Орач О. Є. Журавликова пісня. — К.: Веселка, 1990.
17. Павлова Н. Н. Готовимся к школе. — М.: ЭКСМО-Пресс, 2001.
18. Припетіпа зозуленька: Лічилки. — К.: Веселка, 1984.
19. Прищепа К. С., Колесниченко В. І. Буквар: Проб. підручник для 1 кл. — К.: Форум, 2000.
20. Пролісок: Книга для читання в дошкільних закладах. — К.: Рад. шк., 1982.
21. Романченко М. З. Максимова абетка. — Л.: Каменяр, 1988.
22. Сичова Г. Е. Логопедический букварь. — М.: Прометей, 2001.
23. Січовик І. П. Абетка. — К.: Веселка, 1990.
24. Тоцька М. І. Збірник орфоепічних вправ з української мови. — К.: Рад. шк., 1980.
25. Українські народні казки. — Л.: Каменяр, 1978.
26. Федієнко В. В. Ми готуємось до школи. — Х.: Торсінг, 2001.
27. Хорошковська О. Н. У світі чарівних букв. — К.: Освіта, 1997.
28. Чепурко Б. П. Вітер нашої землі. — Л.: Каменяр, 1990.
29. Школьник Ю. К., Золотарева Ю. Е. Учимся читать: Пособие для школьного обучения. — М.: ЭКСМО-Пресс, 2000.
30. Янчина Е. И. Логопедическое пособие по обучению чтению.— М.: Литера, 1990.
31. Ярешко Л. Е. Весела абетка. — Чернігів: Десна, 1992.

Навчальний посібник

Федієнко Василь Віталійович,
кандидат педагогічних наук

БУКВАР ДЛЯ ДОШКІЛЬНЯТ ЧИТАЙЛИК

Видання третє, перероблене

*Для дітей старшого дошкільного
та молодшого шкільного віку*

Редактор *Н. Косенко*
Художник *Є. Житник*
Технічний редактор *С. Бирюков*
Коректор *Т. Вакуленко*
Макет *Н. Переходенко*

Свідоцтво про внесення до державного реєстру
суб'єкта видавничої справи Сер. ДК № 5502 від 28.08.2017 р.

Сертифіковано державною санітарно-епідеміологічною службою України
(висновок державної санітарно-епідеміологічної експертизи
№ 05.03.02-04/24109 від 05.06.2015 р.)

Видавничий дім «ШКОЛА»:
61036, м. Харків, вул. Морозова, 13 б
Адреса для кореспонденції: 61103, м. Харків, а/с 535
З питань оптових поставок звертатися:
тел. (067) 766-00-77, (095) 766-00-77, sales@schoolbook.com.ua
Редакційний відділ: schoolbook.publish@gmail.com

Придбати книжки за видавничими цінами з безкоштовною доставкою
та подивитися інформацію про інші видання можна на нашому сайті:
www.schoolbook.com.ua

Формат 60x84/16. Друк офсетний. Гарнітура Букварна.
Ум. друк. арк. 5,58

UNISOFT

Надруковано у ПП «Юнісофт»
61036, м. Харків, вул. Морозова, 13 б
www.unisoft.ua
Свідоцтво ДК № 5747 від 06.11.2017 р.

гам   маг

мол   лом

так   кат

мир   рим

сир   рис

Я НЕС

ЧИТАТИ ЦІКАВО — ХО